SOMMAIRE

MELTING POT*

Un Français sur trois a un parent ou un grand-parent d'origine étrangère. Un argument à faire valoir à ceux qui tiennent des propos racistes.

* Terme américain qui désigne le brassage des populations.

Une planche de vignettes autocollantes est posée sur une partie des exemplaires destinés aux abonnés de France métropolitaine.

BIER
BIER
hot

récit

Anne Frank

un récit de Sophie Chérer
illustré par Emmanuel Cerisier

Depuis des années, vous nous réclamez un numéro sur Anne Frank. Cette histoire vraie d'une jeune fille juive obligée de se cacher avec sa famille pour fuir la terreur nazie, la voici. À notre tour de vous demander quelque chose : le meilleur hommage que vous puissiez rendre à Anne, c'est de lire le *Journal* qu'elle a écrit elle-même. C'est aussi de vous informer, de vous cultiver, pour que ceux qu'on appelle les révisionnistes, et qui nient l'existence des chambres à gaz et du génocide juif, trouvent à qui parler chaque fois qu'ils voudront mentir.

Sophie Chérer

1

Le cadeau

C'est la guerre. L'Europe est presque entièrement occupée par les nazis. Leur chef, Adolf Hitler, veut appliquer partout son programme d'élimination des Juifs. Dès son arrivée au pouvoir en 1933, la famille Frank a fui l'Allemagne et les persécutions, pour s'installer à Amsterdam. Mais en 1940 la Hollande elle aussi a été envahie.

Pourtant, ce matin, Anne Frank ne pense ni aux bombes, ni aux soldats, ni aux lois qui empêchent les familles juives comme la sienne de vivre normalement. Elle pense aux cadeaux, à la fête, aux surprises. C'est le 12 juin 1942. Son anniversaire. Elle a treize ans.

Il est six heures quand elle se réveille, impatiente. Mais chut ! Ses parents et sa sœur aînée Margot dorment encore. Bientôt, elle n'y tient plus. Vite ! Au salon !

La table est couverte de cadeaux : un bouquet de roses, deux branches de pivoines, une petite plante, un jeu de société, un puzzle, des livres, des petits gâteaux, des bonbons, une tarte aux fraises maison, une petite bouteille de jus de raisin qui ressemble à du vrai vin, un joli chemisier bleu !

Mais celui qu'Anne voit en premier, c'est un gros cahier carré. Sa couverture cartonnée est habillée d'un beau tissu écossais rouge et blanc. C'est un livre blanc, avec fermoir. Ce sera son Journal, son premier Journal intime ! Rien ne pouvait lui faire plus plaisir.

Car Anne Frank se sent seule et révoltée. Sans personne à qui parler. Elle a bien des camarades de classe – et une foule d'admirateurs – mais pas d'amie intime. Elle qui a tant de choses à dire ! Tant de sentiments à partager !

Au bout d'une semaine de notes dans son Journal, elle a une idée : « *Le papier a plus de patience que les gens.* » Et on dit bien « Journal intime », comme « amie intime ». Alors, écrit Anne : « *je veux faire de ce journal l'amie elle-même et cette amie s'appellera Kitty.* »

À dater du 20 juin 1942, chaque page du cahier à carreaux commencera comme une lettre adressée à « *Chère Kitty* », « *Ma chérie adorée* » ou « *Très chère Kitty* », selon l'humeur d'Anne.

Ce même jour, elle note :

« *C'est une sensation très étrange, pour quelqu'un dans mon genre, d'écrire un journal. Non seulement je n'ai jamais écrit, mais il me semble que plus tard ni moi ni personne ne s'intéressera aux confidences d'une écolière de treize ans.* »

2

La fuite

Comme elle se trompe ! En rédigeant ses premières pages, Anne s'attend à décrire la vie quotidienne d'une adolescente, ses lectures, ses idées. Rien d'extraordinaire. Elle ne sait pas encore que son Journal va devenir un témoignage irremplaçable sur la Deuxième Guerre mondiale et la résistance des Juifs. Car quelques semaines après son anniversaire, début juillet 1942, son père, Otto, lui révèle un grand secret :

– Nous allons devoir nous cacher, et vivre complètement coupés du monde. Ce sera très dur, dit-il.
– Nous cacher, mais pourquoi, Pim* ?
– Nous entreposons des vêtements, des vivres et des meubles chez d'autres gens depuis plus d'un an. Tu te souviens qu'à la dernière rentrée, Margot et toi avez été obligées de quitter votre école. Et moi j'ai dû céder mon entreprise d'épices et de confitures à des collègues. Si nous attendons sans rien faire, la police allemande viendra nous chercher.
Anne sait tout cela. Elle l'a même écrit dans son Journal :
« Les lois antijuives se sont succédé sans interruption et notre liberté de mouvement fut de plus en plus restreinte. Les Juifs doivent porter l'étoile jaune ; les Juifs doivent rendre leurs vélos ; les Juifs n'ont pas le droit de prendre le tram ; les Juifs n'ont pas le droit de circuler en autobus, ni même dans une voiture particulière ; les Juifs ne peuvent faire leurs courses que de trois heures à cinq heures ; les Juifs ne peuvent aller que chez un coiffeur juif ; les Juifs n'ont pas le droit de sortir dans la rue de huit heures du soir à

** C'est le surnom qu'Anne donne à son père.*

six heures du matin ; les Juifs n'ont pas le droit de fréquenter les théâtres, les cinémas et autres lieux de divertissement ; les Juifs n'ont pas le droit d'aller à la piscine, ou de jouer au tennis, au hockey ou à d'autres sports […] Les Juifs n'ont plus le droit de se tenir dans un jardin chez eux ou chez des amis après huit heures du soir ; les Juifs n'ont pas le droit d'entrer chez des chrétiens ; les Juifs doivent fréquenter des écoles juives, et ainsi de suite. »

Le 5 juillet, un dimanche, Otto trouve dans sa boîte aux lettres une convocation des SS*. Il sait que cette

* *Soldats allemands chargés de l'élimination des Juifs.*

convocation est un arrêt de mort. Elle signifie un aller simple pour les camps de concentration, et au bout du voyage : la mort. Il faut faire vite et fuir. Pendant que la mère d'Anne court chez les Van Daan, des amis et associés de son mari, pour leur demander s'ils peuvent s'installer dans la cachette avec eux dès le lendemain, Margot explique que la convocation n'était pas pour son père mais pour elle. Anne éclate en sanglots.

– Pour toi ? Mais, Margot, tu n'as que seize ans ! Ils envoient donc des enfants à la mort ?

Le temps presse. Anne fourre en premier son Journal dans un cartable, quelques affaires de toilette, et puis des livres de classe, son courrier, n'importe quoi : *« Je tiens plus aux souvenirs qu'aux robes. »*
Le lendemain matin, à l'aube, les Frank enfilent chacun plusieurs couches de vêtements, pêle-mêle. Il est hors de question de partir avec des valises. Trop voyant. Trop dangereux. Sous une pluie battante, Margot s'enfuit la première, avec l'aide de Miep Gies, une femme extraordinaire, dévouée et discrète, qui travaille au bureau de M. Frank. Moortje, le petit chat d'Anne, doit rester. Il sera recueilli par un voisin.

3

L'Annexe

En arrivant au 263 Prinsengracht, Anne comprend : la cachette préparée depuis des mois se trouve juste au-dessus des entrepôts derrière les bureaux de son père. C'est une deuxième maison donnant sur la cour, invisible de la rue, reliée à la première par un couloir minuscule.
Margot est déjà là, au milieu d'un fouillis de cartons, de linge, d'objets divers. Très vite la famille baptise son refuge *l'Annexe**. Les premiers jours, tout le monde se met au travail pour ranger, bricoler, aménager. La famille Van Daan, les parents et leur fils Peter arrivent trois jours après les Frank. On fabrique des rideaux avec des vieux bouts de tissu dépareillés. On improvise un décor de fortune : « *Grâce à Papa qui avait emporté à l'avance toute ma collection de cartes postales et de photos de stars de cinéma, j'ai pu enduire tout le mur avec un pinceau et de la colle et faire de la chambre une gigantesque image* », écrit Anne.

** En néerlandais : Het Achterhuis, c'est-à-dire « la maison de derrière ».*

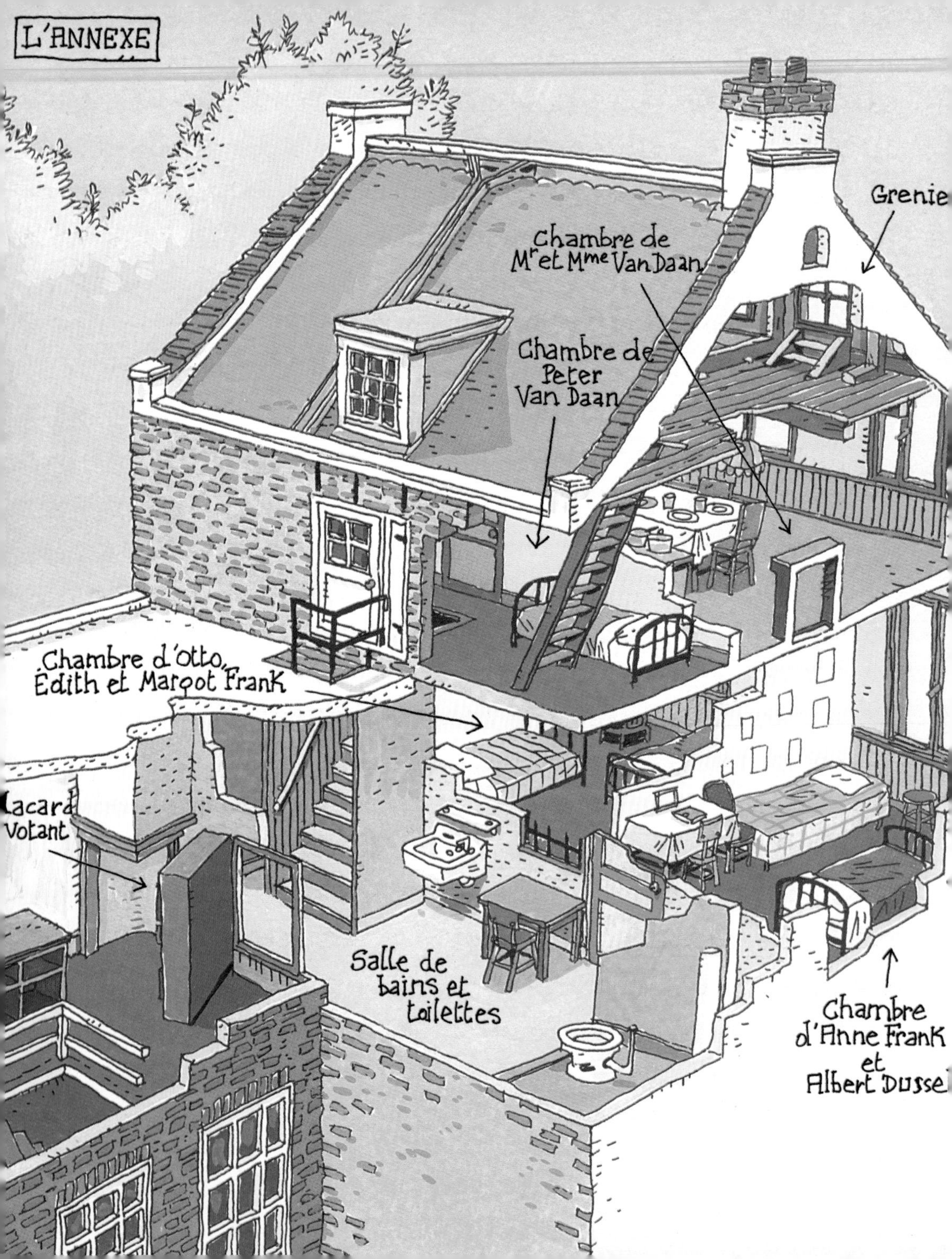

L'ANNEXE
Grenie
Chambre de
M^r et Mme Van Daan
Chambre de
Peter
Van Daan
Chambre d'otto,
Édith et Margot Frank
lacard
votant
Salle de
bains et
toilettes
Chambre
d'Anne Frank
et
Albert Dusse

Dans la peur et la promiscuité*, la vie de clandestin commence. Finie la vie privée, l'intimité. Mais tant d'autres Juifs sont menacés au-dehors... Miep et trois autres collègues de bureau d'Otto sont prêts à risquer leur vie pour les ravitailler en nourriture, mais aussi en livres, journaux et nouvelles d'Amsterdam. Dans l'Annexe on tâche de s'occuper tant bien que mal. On dénoyaute des cerises pour l'entreprise de confiture et on transforme les cageots en étagères de bibliothèque. Le soir, quand les bureaux sont fermés, on écoute à la radio les nouvelles de la Résistance qui s'est organisée à Londres.

Anne, Margot et Peter passent leurs journées à étudier en silence. Anne, en particulier, saute sur toutes les occasions de se cultiver : la littérature, l'arithmétique, l'histoire, la Bible, les langues étrangères, français, anglais... Mais attention ! selon le rigoureux règlement de l'Annexe, « *toutes les langues de culture sont autorisées, donc l'allemand est exclu* ». Avec tout l'humour dont ils sont capables, les clandestins pratiquent leur résistance à eux...

** Rassemblement désagréable de personnes trop nombreuses dans un même endroit.*

4

La solitude

« *Formidable nouvelle, nous allons héberger un huitième pensionnaire !* » écrit Anne à sa chère Kitty le 10 novembre 1942. Quatre mois ont passé depuis l'installation dans l'Annexe. Ils ont beau être à l'étroit, la générosité est la plus forte.

Déception : le dentiste Albert Dussel « *se révèle le plus vieux jeu des donneurs de leçons* ». Anne le trouve égoïste et râleur. Et comble de malchance, elle doit partager sa chambre avec lui ! Mais, comme elle n'est pas du genre à se laisser marcher sur les pieds, elle s'attire tous les reproches possibles et imaginables de la part des adultes : « *mal élevée, prétentieuse, têtue, indiscrète, bête, paresseuse, etc.* » C'est déjà difficile de se retrouver enfermée à longueur de journée, d'avoir tout le temps peur, d'attendre son tour pour le moindre geste, alors si en plus on se fait critiquer tout le temps !

Il faut dire qu'Anne non plus ne ménage pas ses moqueries. Elle est drôle et mordante quand elle dépeint dans son Journal les défauts des adultes. Elle note tristement qu'au lieu de se serrer les coudes, les habitants de l'Annexe ne pensent qu'à se contredire à propos de politique, ou même à grappiller des parts de nourriture : « *Je trouve incroyable que des adultes puissent se quereller si vite, si souvent et à propos des détails les plus futiles ; jusqu'à présent, j'étais persuadée que les chamailleries étaient réservées aux enfants.* » Mais elle ajoute, lucide : « *Existe-t-il des parents pour satisfaire totalement leurs enfants ?* »

Pourtant, avec un peu d'humour et de bonne volonté, les pires mésaventures peuvent se transformer en plaisanteries.

Ainsi, un jour Anne oublie son cher stylo plume, cadeau de sa grand-mère, sur la table où elle doit frotter des haricots, ce qui signifie d'après elle *« redonner un air décent à des haricots rouges moisis ».* En vidant le poêle le lendemain, son père retrouve les restes du malheureux stylo au milieu des cendres de haricots pourris... « *J'ai trouvé un bon titre pour ce chapitre,* conclut Anne : *Ode à mon stylo plume. In memoriam**. »

** En souvenir, formule en latin qu'on utilise dans les prières des morts.*

5

L'amour

« Un garçon de bientôt seize ans, un dadais timide et plutôt ennuyeux dont la compagnie ne promet pas grand-chose. »

Voilà comment Anne décrit Peter Van Daan à son arrivée. Elle le trouve bête, silencieux, trouillard et ne rate pas une occasion de se moquer de lui. Par exemple, lui qui adore employer les mots étrangers, sans connaître leur sens, fixe un jour sur la porte des WC un écriteau en français disant : *SVP Gaz !* au lieu de *Attention, Gaz !* pour avertir les usagers d'une odeur nauséabonde… Anne en rit encore en écrivant à Kitty… Mais un jour elle fait un rêve étrange.

Elle rêve qu'un autre Peter qu'elle a connu, aimé et perdu de vue, Peter Schiff, la regarde dans les yeux et pose très doucement sa joue contre la sienne. Elle se réveille en larmes. Elle a découvert le manque, le désir. Elle ressent, dans son corps qui se transforme et dans son esprit qui mûrit, la douceur et le chagrin d'aimer. Et ces révélations la rapprochent du Peter réel, du Peter présent.

Anne s'aperçoit de jour en jour que la timidité du « grand dadais » cache un bon cœur, de la patience, des idées semblables aux siennes.

Chaque jour, elle rejoint Peter dans sa chambre ou dans le petit grenier. Là, ils s'assoient côte à côte et parlent pendant des heures, ou bien regardent le ciel, la ville, les étoiles, les branches du marronnier de la cour par le vasistas du toit. Bientôt, ils s'enlacent aussi, et un beau jour, le grand jour, le 15 avril 1944, ils s'embrassent enfin.

« On se sent tellement calme, tellement en sécurité à être là dans ses bras et à rêver, c'est si excitant de sentir sa joue contre la sienne, c'est si merveilleux de savoir que quelqu'un m'attend. »

Anne est bel et bien amoureuse, et impatiente de retrouver Peter chaque soir. Grâce à lui, les jours passent plus vite. Mais pourquoi les adultes sont-ils si stupides et indiscrets ?

« Je ne sais plus combien de fois la conversation à table a déjà roulé sur un mariage à l'Annexe, si jamais la guerre durait encore cinq ans. Mais que nous font, à vrai dire, tous ces radotages de parents ? »

6

La peur

L'amour de Peter avait presque réussi à faire oublier la guerre à Anne. Mais, le soir de Pâques 1944, le voilà qui frappe à la porte du premier étage et dit d'une drôle de voix :

– Monsieur Frank, vous ne voudriez pas m'aider ? J'ai une phrase très compliquée à traduire de l'anglais.

– C'est louche, murmure Anne à Margot. Vu le ton, c'est

un prétexte pour appeler Papa. Il y a des cambrioleurs ! Les hommes descendent. Les femmes attendent. Un grand coup, puis le silence. La pendule sonne dix heures.

– Éteignez les lumières, montez doucement, la police va venir ! dit M. Frank dans l'entrebâillement de la porte.

Puis il redisparaît. Quelle angoisse !

Enfin, les revoilà tous. Ils racontent :

– Peter a entendu des coups violents en bas, c'étaient des cambrioleurs qui enlevaient une grosse planche de la porte de l'entrepôt. Quand nous sommes descendus tous les quatre, ils étaient en plein travail. Pour les effrayer, M. Van Daan a hurlé « Police ! ». Ils ont filé. Nous avons remis la planche et commencé à tout ranger très vite, mais alors un couple qui se promenait dans la rue a entendu le bruit et a braqué une lampe de poche très puissante dans l'entrepôt. C'est nous qu'ils ont pris pour les cambrioleurs ! Vite, nous avons foncé dans l'escalier ! Ils ont sûrement prévenu la police. Ne faisons pas un seul bruit jusqu'à ce que nous puissions prévenir ceux du bureau !

Le lendemain, c'est lundi de Pâques. Deux nuits et un jour sans un seul bruit… Chacun retient son souffle. On entend quelqu'un claquer des dents. Soudain, des bruits de pas dans l'escalier, des secousses à la porte-bibliothèque. Puis plus rien. Mais les clandestins ne sont pas rassurés pour autant.

À trois heures du matin, personne ne dort. Si la police arrive…

– Nous devrions faire disparaître la radio, suggère Mme Van Daan.

– S'ils nous trouvent, ils peuvent bien trouver la radio aussi ! répond son mari.

– À ce moment-là, ils trouveront aussi le Journal d'Anne ! dit M. Frank.

– Il n'y a qu'à le brûler, propose Mme Van Daan.

« *Cet instant et le moment où la police a secoué la bibliothèque m'ont causé le plus d'angoisse,* écrit Anne en racontant la scène deux jours plus tard, quand tout s'est provisoirement arrangé. *Pas mon Journal, mon Journal mais alors moi avec !* »

Épilogue :
La dénonciation

La dernière page du Journal d'Anne Frank, la dernière lettre adressée à Kitty porte la date du 1er août 1944. Le 4, sans doute à la suite d'une dénonciation, les clandestins sont arrêtés, emmenés en camion chez les SS, puis enfermés pendant un mois au camp de Westerbork près de la frontière allemande.

Le 3 septembre, ils partent dans le dernier train pour le camp d'Auschwitz. Anne et Margot Frank mourront en mars 1945, de faim, de froid, de mauvais traitements et du typhus*, au camp de Bergen-Belsen, à quelques semaines de sa libération par les Anglais.

Des huit clandestins de l'Annexe, Otto Frank sera le seul survivant. Après un long périple, il regagne Amsterdam et retrouve son amie Miep Gies.

** Maladie infectieuse transmise par les poux.*

Le jour de l'arrestation, elle a ramassé le Journal d'Anne, l'a enfermé à clé dans le tiroir de son bureau et l'a conservé précieusement pendant des mois, sans le lire. Elle ne le confie à Otto qu'une fois certaine de ne pouvoir le rendre à son auteur.

Otto, bouleversé, commence sa lecture. Sa famille entière, ses trois chéries sont là, vivantes, sous la plume de sa fille. Tout l'univers de l'Annexe.

Arrivé à la page où Anne note que son « *souhait le plus cher est de devenir journaliste, et plus tard un écrivain célèbre* », il sait ce qui lui reste à faire. Consacrer le restant de ses jours à exaucer ce vœu.

Remerciements au ANNE FRANK-Fonds Basel.

Fin

Sophie Chérer

« Le *Journal d'Anne Franck* est le premier livre « pour grands » que j'ai tenu entre les mains, raconte Sophie. Et pourtant, il est écrit par une adolescente ! En tout cas, c'est certainement un des plus marquants, et surtout celui qui a provoqué en moi le désir d'écrire. Je n'avais pas encore fini que je me suis moi-même mise à écrire un journal. J'espère que le *Journal d'Anne Frank* aura chez d'autres le même pouvoir de contagion ! »

Pour JE LIS DES HISTOIRES VRAIES Sophie a déjà écrit *Walt Disney, Giono, Molière.*

Emmanuel Cerisier

« J'adore l'Histoire parce qu'elle me permet de me plonger dans des ambiances disparues, explique Emmanuel. Tout au long de mon travail, des images de films portant sur la Deuxième Guerre mondiale défilaient dans ma tête, comme par exemple *Au revoir les enfants*, le film de Louis Malle. Alors j'ai utilisé des couleurs un peu passées, d'autant plus que dans l'Annexe, la lumière était rare. »

Emmanuel est un jeune illustrateur de 29 ans. Il vient d'illustrer *l'Encyclopédie du monde marin* et *Adosguide* (Les Alpes) chez La Martinière Jeunesse.

L'album Photo

Anne et sa famille

Anne (coiffée d'un chapeau) est à côté de son père, c'est un jour de fête : le mariage de leurs amis Miep et Jan Gies qui les cacheront un an plus tard à «l'Annexe».

Anne Frank naît le 12 juin 1929 à Francfort-sur-le-Main en Allemagne. Sa sœur aînée, Margot, a trois ans.

Leurs parents, Otto et Edith, sont tous deux des Juifs allemands libéraux, respectueux des traditions mais pas strictement religieux. Otto, passionné de photographie, réalise de nombreux portraits. Ses filles l'adorent. Tous les jours, il leur invente des histoires et les encourage à lire et à étudier. La maison est pleine de livres.

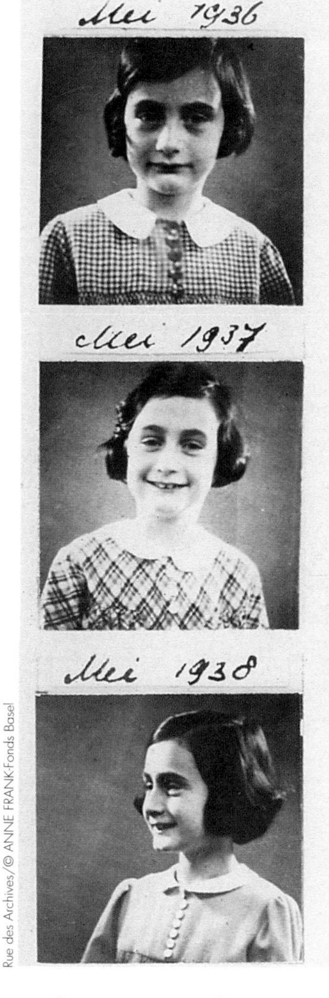

Anne de 1936 à 1942 : de 7 à 11 ans.

En 1933, Adolf Hitler arrive au pouvoir. Ses partisans, les nazis, défilent dans les rues aux cris de « À bas les Juifs ! » Otto Frank, qui vient de prendre à contrecœur la direction d'une banque familiale, décide de quitter l'Allemagne tant qu'il en est encore temps. Après quelques semaines de démarches, sa famille le rejoint à Amsterdam, aux Pays-Bas. Là, Otto crée son entreprise de préparation de confitures, Opekta. La grand-mère paternelle d'Anne fuit l'Allemagne, elle aussi, pour la Suisse. Anne et Margot sont jeunes, elles s'adaptent facilement à la vie à Amsterdam. La famille habite une maison neuve dans un quartier neuf. Les filles apprennent le hollandais à l'école et c'est dans cette langue qu'Anne rédigera plus tard son Journal. Otto le parlait déjà avec des relations d'affaires. La famille se fait des amis sur place, surtout parmi les Juifs allemands réfugiés pour les mêmes raisons qu'elle. Malgré l'exil, la vie des Frank est gaie, pleine de fêtes et de week-ends au bord de la mer du Nord toute proche.

La vie à l'Annexe

Pendant un peu plus de deux ans, huit personnes vont vivre enfermées dans un petit appartement sans pouvoir sortir, ni faire le moindre bruit dans la journée...

L'immeuble du 263, Prinsengracht abrite sur trois étages les bureaux et les entrepôts de l'entreprise du père d'Anne. Derrière cette maison, il en existe une autre, en retrait, inoccupée, qui communique avec un bureau par un petit couloir. C'est là que dès 1941 Otto Frank envisage d'abriter sa famille, grâce à la complicité de quatre collègues non juifs.

L'Annexe comporte, sur trois étages, quatre chambres, une petite salle de bains et un grenier. Au premier, les parents d'Anne partagent leur chambre avec Margot, et Anne la sienne avec Albert Dussel. Au second, les parents Van Daan occupent une chambre et Peter une autre. Les repas sont préparés par Mme Van Daan et pris en commun dans la chambre des Van Daan, la pièce la plus spacieuse.

AKG

La porte secrète qui mène à l'Annexe est dissimulée par une bibliothèque.

AKG

La maison où s'était réfugiée Anne telle qu'on peut la voir aujourd'hui.

Il y a bien une cuisine
dans l'immeuble,
au rez-de-chaussée,
mais elle ne peut
pas faire partie de
la cachette car
les employés des
bureaux l'utilisent.
Les provisions, surtout
des légumes secs,
sont entreposées
au grenier.
C'est l'endroit
préféré d'Anne.
Elle y passe des
heures à rêver,
à regarder par la
lucarne ou à parler
avec Peter.
Dans la journée, il
faut éviter le moindre
bruit, à cause des
ouvriers de l'entrepôt
qui ne sont pas dans
le secret.
Le dimanche, chacun
prend son bain
dans un baquet à tour
de rôle, avec l'eau
chaude du bureau.
Les clandestins
sont très tendus et
les querelles éclatent
pour un oui ou
pour un non.
Anne est en pleine
croissance.
En deux ans, elle
grandit de 13 cm.
Plus aucun vêtement
ne lui va, et pas
moyen de s'en
procurer…

Le Journal d'Anne

Anne a tenu son Journal du 12 juin 1942 au 1er août 1944, d'abord dans l'album à carreaux rouges et blancs de ses treize ans, puis dans deux autres carnets et sur des feuilles volantes.

Manuscrit original du Journal d'Anne.

Elle commence par écrire pour elle-même, sans souci d'intéresser d'éventuels lecteurs. Mais le 28 mars 1944, en écoutant Radio Orange (l'émission en hollandais des résistants de Radio Londres), elle apprend que le ministre de l'Éducation en exil prévoit de rassembler après la guerre une collection de journaux intimes, de lettres et de témoignages sur la vie quotidienne pendant l'occupation. Anne, qui rêve de devenir écrivain, se met alors à remanier entièrement son Journal.

Elle réécrit certains passages, en barre d'autres, trop intimes ou blessants pour ses proches, ajoute des notes et donne des pseudonymes à ses « héros ».
Le Journal paraît en 1947, tiré à 1500 exemplaires.
Il est bientôt édité en 55 langues, et vendu à ce jour à plus de 25 millions d'exemplaires dans le monde entier.
Pendant près de quarante ans, des journalistes et des historiens ont soutenu que le Journal était un faux, écrit par Otto Frank pour se faire de la publicité.
Aujourd'hui, toutes les expertises du papier, de l'encre, de la colle, des carnets et de l'écriture d'Anne concordent : le document est authentique. On peut en lire les différentes versions dans le livre *Les Journaux de Anne Frank* (Calmann-Lévy, 1989).

Anne à sa « table d'écrivain ».

À sa mort, en 1980, Otto Frank fait don des écrits de sa fille à l'État hollandais.
L'original du Journal est visible aujourd'hui à la Maison Anne Frank à Amsterdam.

À TOI DE JOUER!

Qui vole de fleur en fleur ?
Pour le savoir, relie les points entre eux.

Mots croisés

HORIZONTALEMENT

1 : C'est le pays des tulipes et des vélos.
2 : Tu l'allumes pour écouter les informations.
3 : C'est l'arbre qui produit les marrons d'Inde.
4 : Les voleurs la fuient mais elle court après eux !
5 : C'est l'organisation qui s'opposait à l'occupation allemande pendant la Seconde Guerre mondiale.
6 : Chaque jour, tu y notes tes réflexions personnelles.
7 : C'est l'inverse de la paix.
8 : Cette période de la vie se situe entre l'enfance et l'âge adulte.
9 : Tu la remplis de tout ce dont tu as besoin pour partir en vacances.
10 : Tu la franchis pour aller d'un pays à un autre.

VERTICALEMENT

1 : Ce jeu consiste à rassembler des pièces pour découvrir une image.
2 : C'est un meuble sur lequel on travaille.
3 : Cette toute petite fenêtre se pousse ou se tire.
4 : Il écrit des livres.
5 : On dit aussi « horloge ».
6 : C'est la langue parlée en Grande-Bretagne.
7 : Tu te réfugies dans cet endroit pour que l'on ne te trouve pas.
8 : C'est la pièce des livres.

Un jardin fleuri

Aide le jardinier à remettre le nom des fleurs dans l'ordre et trouve quel robinet est ouvert. Repère les 7 différences entre les jardiniers et les 5 animaux cachés dans le jardin. Déchiffre le rébus.

Quel désordre !

Pour comprendre cette histoire pleine de bulles, remets les cases dans l'ordre.

Solution page 60

DIS, HUBERT, ÇA VEUT DIRE QUOI ÊTRE DE MAUVAIS POIL?
Les bobards
« Être de
VOYONS, VOYONS...
FAITES VITE, J'Y VOIS PLUS RIEN!
MÔSSIEUR EST DE MAUVAIS POIL!
GRR!
AÏE! VOUS ME PRENEZ À REBROUSSE-POIL!
ENCORE UN CLIENT QU'IL FAUT BROSSER DANS LE SENS DU POIL!
VOUS PARTEZ EN VACANCES CET ÉTÉ?
EN VACANCES, ON REPREND DU POIL DE LA BÊTE!
CLAC
À UN POIL PRÈS, J'AVAIS PLUS D'OREILLE!
MÔSSIEUR EXAGÈRE UN POIL!

Scénario N. Kuperman / Illustration Pronto

Autour d'Anne Frank

Des livres et un film pour évoquer Anne Frank, l'histoire de la Seconde Guerre mondiale et le combat contre le racisme.

1. Traduit en 55 langues, vendu à 25 millions d'exemplaires, le Journal d'Anne n'est pas seulement un témoignage précieux, c'est aussi un texte émouvant qui raconte magnifiquement les préoccupations et les sentiments d'une fille de 13 ans. Pour les plus grands.
Journal d'Anne Frank, Le livre de poche, 42 F.

2. Pour les plus jeunes, un court récit à lire avant d'aborder le *Journal* d'Anne Frank. À partir de 9 ans.
Anne Frank, la vie en cachette, Johanna Hurwitz, Le livre de poche Jeunesse, 26 F 50.

3. Tiré des archives de la famille Frank, un extraordinaire recueil de photos et documents sur Anne et sa famille.
Anne Frank, une vie, Fondation Anne Frank, Casterman, 83 F.

4. Écrit et publié pour la première fois en 1945, ce roman qui raconte la vie de tous les jours dans Paris occupé se lit d'une seule traite.
La maison des Quatre Vents, Colette Vivier, Romans, Casterman, 48 F.

5. Une présentation claire et complète de la Seconde Guerre mondiale : les origines de la guerre, ses acteurs, les destructions massives qu'elle engendra.

À voir, toujours sur les écrans, le Journal d'Anne Frank en dessin animé, sorti en février.

Un texte enrichi par une iconographie très complète.
La Seconde Guerre mondiale, Annette Wieviorka, Michel Pierre, Repères/Histoire, 83 F.

6. Une historienne répond à sa fille de 13 ans qui lui pose des questions très directes et très concrètes sur l'extermination de millions de Juifs pendant la Deuxième Guerre mondiale.
Auschwitz expliqué à ma fille, Annette Wieviorka, Seuil, 39 F.
Dans la même collection, un écrivain marocain répond aux interrogations de sa fille sur le racisme.
Le racisme expliqué à ma fille, Tahar Ben Jelloun, Seuil, 39 F.

7. À la récré, Koffi se fait traiter de «sale noir». Max n'hésite pas une seconde à défendre son copain.
Max et Koffi sont copains, Max et Lili, Dominique de Saint-Mars, illustrations Serge Bloch, Calligram, 29 F.

8. Un collectif d'auteurs présente en une douzaine de chapitres les grands sujets concernant le racisme à travers les siècles et tout autour du monde. En annexe, une sélection des principaux textes de loi condamnant les actes et propos racistes.
Le grand livre contre le racisme, collectif, illustrations de Zaü, Rue du monde, 130 F.

À GAGNER !

Retrouve ton chemin dans le labyrinthe secret où chaque joueur peut déplacer les couloirs pour être le premier à s'emparer du trésor !

20 LABYRINTHES SECRETS OFFERTS PAR RAVENSBURGER

Pour jouer, va vite voir la carte réponse p. 70.

Ravensburger

LE ROI DES MENTEURS

Tous ceux qui disent que les mille-pattes n'aiment pas danser sont des menteurs, car...

Bravo à Joëlle,
la Reine des menteurs.
Elle reçoit un super-quizz électronique VTECH.
Les autres gagnants reçoivent un livre de la collection Miroirs de la connaissance/ NATHAN JEUNESSE.

... mes voisins sont des mille-pattes
et je ne ferme pas l'œil de la nuit
parce qu'ils organisent des square-dance
où, patte dessus, patte dessous,
ils sautillent en cadence !

Joëlle, 1213 Onex, Suisse

VIVEMENT L'AN 3000 !

... car je me baladais, le soir du millénaire, et j'ai entendu de la musique. Ça venait d'une grotte, je suis allée voir, et qu'est-ce que je vois ? Trois mille-pattes qui dansent la samba sur des mille-feuilles.

Théoxane, 8 ans et demi, 59650 Villeneuve-d'Ascq

MILLE FOIS LE PIED !

... car pour danser le reggae,
c'est plus gai d'avoir mille pieds.
Pour faire des claquettes,
c'est plus chouette avec mille chaussettes
rayées, là, c'est le pied.

Anaïs, 9 ans, 59130 Lambersart

Romantique...

... car l'autre soir,
en sortant d'un bar,
j'ai bien vu
un mille-pattes barbu
au bras d'une belle brune,
dansant au clair de lune.
Et tous les gens sur le trottoir
dansaient avec eux,
quelle histoire !

Béatrice, 7 ans et demi, 69009 Lyon

Invente vite la suite de ce mensonge : "Tous ceux qui disent que les cartables n'ont pas d'oreilles sont des menteurs car..."

**N'oublie pas d'indiquer ton nom, ton âge, ton numéro de téléphone et ton adresse.
Envoie ton texte avant le 31 mai à :
JE LIS DES HISTOIRES VRAIES,
LE ROI DES MENTEURS,
129, BD MALESHERBES,
75812 PARIS CEDEX 17.**

Les textes sélectionnés paraîtront dans le numéro de septembre.

A LACETS ?

**... car la nuit, pendant que je dormais, je me suis levé,
réveillé par de petits bruits et, sur ma commode,
j'ai vu mademoiselle Mille-pattes danser :
elle dansait le be-bop avec monsieur Scolopendre.
Le lendemain, je croyais avoir rêvé, mais quand j'ai vu
sous la commode, bien rangés, mille petits souliers,
je sus que c'était la vérité.**

Jean-Marie, 13400 Aubagne

CHOUETTE !

... car je me baladais en salopette
sur un terrain d'herbe bien verte,
quand soudain j'aperçus une petite tête
cachée derrière un immense hêtre,
il faisait nuit noire, alors,
je sortis mes allumettes
et je découvris en fait
que c'était un mille-pattes
faisant des claquettes,
sur un air vraiment casse-tête
avec ses amies les alouettes !
C'est vrai, sinon à quoi serviraient
leurs mille baskets ?

Gabrielle, 9 ans et demi, 35700 Rennes

ECLAIRANT !

**... car les mille-pattes adorent danser,
car, un jour d'été,
j'ai vu un mille-pattes qui sanglotait.
Je lui ai demandé pourquoi il pleurait.
Il m'a répondu qu'il avait dansé
toute la soirée
avec mademoiselle Araignée
et que maintenant il se plaignait
d'avoir mal aux pieds
car il avait des ampoules
par milliers.**

*Claire,
10 ans et demi,
13400 Aubagne*

Es-tu tolérant ?

Pour le savoir, entoure le symbole qui correspond à ta réponse puis fais le compte de tes points.

Avec tes frères et sœurs, c'est la guerre pour choisir le programme télé :

■ Tu prépares un planning pour que chacun puisse regarder son émission préférée.

● Tu les laisses et tu vas tranquillement lire dans ta chambre.

▲ Le problème est réglé, tu éteins la télé, car tu dois répéter ta leçon de piano.

Tu n'aimes que le rap, ton copain est plutôt musique classique :

▲ Tu essaies de le convaincre qu'il est complètement démodé avec sa musique vieille comme le monde.

● Poliment, tu l'écoutes parler de sa passion pendant 5 minutes puis tu changes de sujet.

■ Tu lui demandes de te faire écouter un de ses disques. C'est toujours intéressant de découvrir des choses nouvelles.

Tu es en vacances chez des amis anglais. Ils veulent te faire goûter le petit déjeuner traditionnel : haricots à la tomate et œufs au bacon...

■ Pour découvrir un pays, il faut savoir prendre des risques.

▲ Ils sont fous ! Hors de question que tu avales autre chose que des tartines.

● Tu goûtes vraiment pour leur faire plaisir.

Un élève récite un poème devant toute la classe. Il a un cheveu sur la langue et tout le monde rigole :

▲ Tu fais pareil.

■ Tu vas le voir à la récré et tu lui racontes l'histoire du vilain petit canard, devenu un cygne superbe.

● Tu lui fais un petit signe pour l'encourager.

RÉSULTATS : **Tu as plus de ●** : Tu acceptes les autres tels qu'ils sont et tu respectes leurs idées, on n'a pas besoin d'être d'accord sur tout pour être copains.

Tu as plus de ▲ : Tu n'as pas toujours envie de faire des efforts pour comprendre les autres mais ça aussi, ça s'apprend.

Tu as plus de ■ : Tu aimes échanger des idées et apprendre à connaître les autres, surtout s'ils sont différents.

LE COURRIER D'ALFRED

Merci à tous pour vos lettres. Si vous le souhaitez, vous pouvez aussi joindre la rédaction en lui envoyant des e-mail à cette adresse : jldhv@fleuruspresse.com

J'aimerais vous dire avec joie que vous êtes un magazine super et très intéressant.
Cela fait quatre ans que je suis abonnée et j'ai adoré Sherlock Holmes, Walt Disney, Louis Pasteur, Agatha Christie et Albert Einstein.
Je voudrais savoir si on doit envoyer une photo pour le Roi des menteurs.
J'adorerais que vous fassiez un numéro sur Schubert ou Bizet car j'adore la musique (je fais de la flûte traversière).
Bravo à toute l'équipe !

Claire, 11 ans, 62280 St Martin Boulogne

Pas de souci pour la photo ! Nous contactons celui qui est choisi pour lui en demander une.

J'ai bien aimé le numéro sur Colbert. Ma maîtresse nous l'a acheté car nous avons travaillé sur la forêt, à cause de la tempête. J'ai bien aimé le numéro sur J.-S. Bach. Je joue du violon et actuellement, je joue un morceau de Bach : « Musette ».
Je vais essayer d'acheter le livre « Bach, sa vie, ses œuvres » qui était dans le zapping. J'aimerais que tu fasses un numéro sur Antonio Stradivari (...) Je collectionne tes cartes et j'en ai plus d'une cinquantaine !

Nina, 9 ans, 38100 Grenoble

Je viens juste de m'abonner et j'adore ce livre. Je voulais savoir si vous avez fait Walt Disney. Si oui, comment puis-je l'avoir ?

Chloé, 01 Miribel

Si tu as lu la lettre de Claire, tu as pu constater qu'un numéro sur Walt Disney est déjà paru (il s'agit du n° 79 de novembre 99).

Pour le commander, fais une demande accompagnée d'un chèque de 30 francs. A bientôt.

Je trouve ce magazine « très top génial cool » !! Dès que je le reçois, je le dévore et quand mon frère ou ma sœur le prennent avant que j'aie pu l'ouvrir, je le leur prends des mains.

Rébecca, 45240 La Ferté-St-Aubin

Je suis une nouvelle abonnée. Votre magazine est très intéressant. J'aime le numéro sur Bach. Je joue du piano depuis 2 ans. J'ai bien aimé le numéro sur Galilée, mais mon préféré est pour l'instant celui sur Bach. J'aimerais bien apprendre à jouer de l'orgue et composer des partitions comme Jean-Sébastien Bach. J'aimerais que vous fassiez un numéro sur la préhistoire, ce serait super, car je ne sais pas comment les Cro-magnons vivaient.

Audrey, 8 ans, 17600 Médicis

Ta suggestion est très intéressante, nous y penserons pour une prochaine fois. Et nous t'encourageons vivement à étudier la composition !

MOI, J'AI AIMÉ

JOHN MARSDEN
J'ai tant de choses à te dire
Castor Poche
Flammarion

J'AI TANT DE CHOSES À TE DIRE

C'est l'histoire d'une adolescente de 15 ans, nommée Marina. Depuis qu'un drame a bouleversé sa vie, elle ne parle plus. Sa mère décide donc de l'envoyer à l'internat. Les médecins espèrent que se retrouver parmi les filles de son âge lui rendra la parole. Marina s'ennuie à l'internat jusqu'au jour où monsieur Lindell leur donne un cahier. Marina en fait son journal secret où elle note sa vie à l'internat. Elle demande à la directrice de l'internat de lui donner l'adresse de son père qui est en prison. La directrice accepte et pendant les vacances, Marina va chez sa copine Cathy qui habite près de la prison. Elle en profite pour aller voir son père. Et là, elle retrouve l'usage de la parole...

Aurélie Pouplin, CM1, École Saint-Michel, 44240 La Chapelle-sur-Erdre
J'AI TANT DE CHOSES À TE DIRE de John Marsden, Castor Poche, Flammarion

La classe d'Aurélie gagne 30 livres offerts par Flammarion

Toi aussi, fais gagner des livres à ta classe en écrivant à
JE LIS DES HISTOIRES VRAIES, 129, Bd Malesherbes, 75812 Paris cedex 17

Les blagues

Deux mites se rencontrent :
– Pourquoi tu te marres mite ?
– Parce que je suis une mite railleuse.

Naïs, 95340 Persan

Une araignée rencontre une mouche :
– Veux-tu que je t'apprenne à tisser ?
– Non, je préfère filer !

Naïs, 95340 Persan

Devinette

Qui peut ouvrir la porte sans avoir de pieds, de jambes et sans avoir de corps ?

Charline, 10 ans, 67750 Scherwiller

Réponse : le vent

Gagnants du jeu-concours N° 82

Anne Barféty, Le Raincy (93)
Alexandre Henry, Verdun (55)
Stéphane Michiels, Agnetz (60)
Benjamin Brenot, Montmorency (95) - Mathilde Giard, Bellerive-sur-Allier (03) - Stéphane Dely, Leforest (62) - Marc Baledi, Saint-Cloud (92) - Alexandra Cordazzo, Saint-Martin Petit (47)
Maïa Gandia, Capbreton (40)
Aurore Le Roy, Lyon (69)
Nastasia Eliki, Gardanne (13)
Timothée Christin, Piolenc (84)
Agathe Picard, Garnerans (01)
Johanne Mionet, Le Val (83)
Marion Pied, Saint-Sébastien-sur-Loire (44) - Julien Ceddaha, Paris (75) - Laura Landanger, Beaufremont (88) - Laure Siegel, Selestat (67) - Aurélie Viet, Versailles (78) - Paul Napoleoni, Fontaine-lès-Dijon.

Solutions des jeux

Mots croisés

Horizontalement :
1. Hollande ; 2. radio ; 3. marronnier ; 4. police ; 5. Résistance ; 6. journal ; 7. guerre ; 8. adolescence ; 9. valise ; 10. frontière.

Verticalement :
1. puzzle ; 2. bureau ; 3. vasistas ; 4. écrivain ; 5. pendule ; 6. anglais ; 7. cachette ; 8. bibliothèque.

Un jardin fleuri

Réponses : Les fleurs : mimosa, jasmin, tulipe, lavande, tournesol. Le robinet n° 4 est ouvert.

Les 7 différences : la moustache, les trous de l'arrosoir, la pièce au pantalon, le nœud du tablier, le sécateur, les chaussettes et le bout des sabots.

Les 5 animaux cachés : un hérisson, une taupe, une pie, un lézard et un escargot.

Le rébus : « C'est le coup de foudre ».

Quel désordre !

C/1 ; F/2 ; B/3 ; H/4 ; D/5 ; A/6 ; E /7 ; G/8.

Tartine et compagnie
Peur dans la nuit

Cyrille Flament / Nadine Van der Straeten

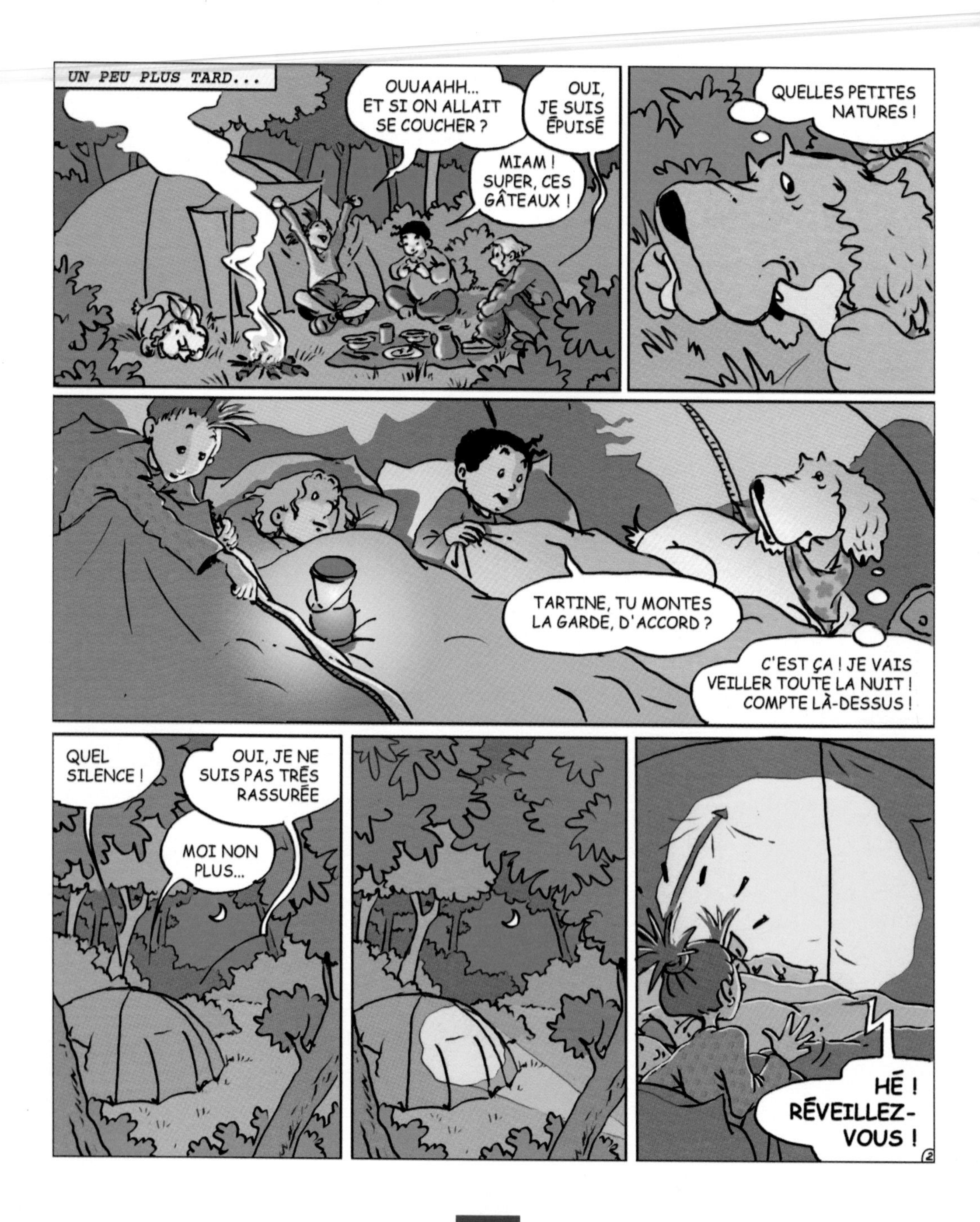
UN PEU PLUS TARD...
OUUAAHH... ET SI ON ALLAIT SE COUCHER ?
OUI, JE SUIS ÉPUISÉ
MIAM ! SUPER, CES GÂTEAUX !
QUELLES PETITES NATURES !
TARTINE, TU MONTES LA GARDE, D'ACCORD ?
C'EST ÇA ! JE VAIS VEILLER TOUTE LA NUIT ! COMPTE LÀ-DESSUS !
QUEL SILENCE !
OUI, JE NE SUIS PAS TRÈS RASSURÉE
MOI NON PLUS...
HÉ ! RÉVEILLEZ-VOUS !

ALLEZ, TARTINE, ABOIE !
FAIS-LEUR PEUR !
OUAH ! OUAH !
AH ! AH !AH !
AH ! AH !
VOUS VOYEZ, ÇA SERT À RIEN !
OUH... OUH... ON VEUT VOTRE CHIEN !
PAS QUESTION !
C'EST LUI OU VOUS !
JE LES AIME TROP,JE VAIS ME SACRIFIER !
TARTINE ! NON !
3

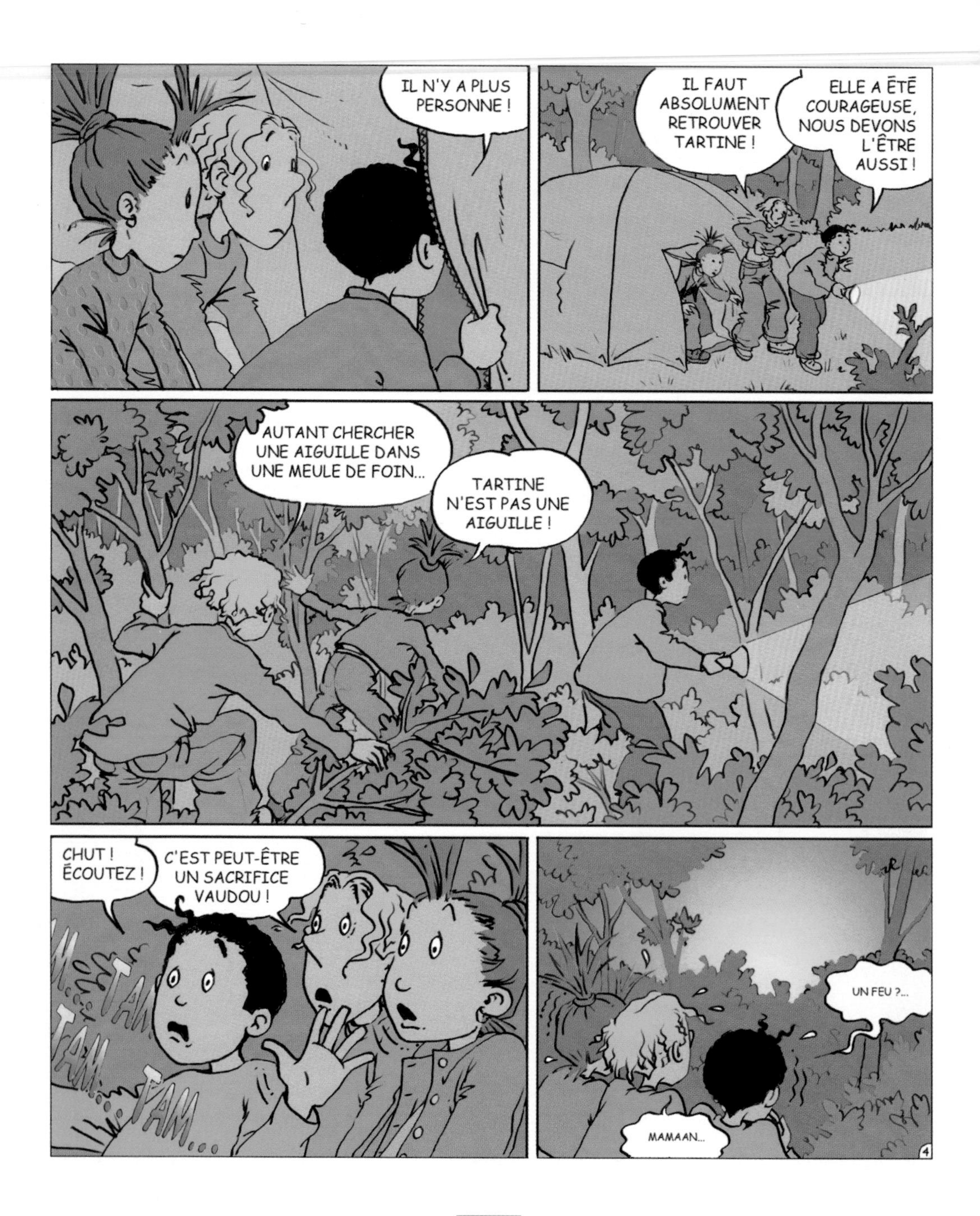
IL N'Y A PLUS PERSONNE !
IL FAUT ABSOLUMENT RETROUVER TARTINE !
ELLE A ÉTÉ COURAGEUSE, NOUS DEVONS L'ÊTRE AUSSI !
AUTANT CHERCHER UNE AIGUILLE DANS UNE MEULE DE FOIN...
TARTINE N'EST PAS UNE AIGUILLE !
CHUT ! ÉCOUTEZ !
C'EST PEUT-ÊTRE UN SACRIFICE VAUDOU !
TAM... TAM... TAM... TAM...
UN FEU ?...
MAMAAN...

C'ÉTAIT POUR L'ÉMISSION "JE RIGOLE" VOUS AVEZ ÉTÉ **FORMIDABLES** !
VOTRE CHIENNE EST REMARQUABLE ! ELLE A TOUT DE SUITE COMPRIS QU'ON NE LUI VOULAIT AUCUN MAL !
ELLE A TRÈS BIEN TENU SON RÔLE...
D'AILLEURS, ÇA M'A PERMIS DE TESTER VOTRE ATTACHEMENT À MOI...
TENEZ, LES ENFANTS, PRENEZ UN VERRE DE CIDRE AVEC NOUS.
ET NOS MASQUES, ON VOUS LES DONNE !
INH ! INH ! INH ! INH !
OUH... OUH... OUH...
MOUAIS... SYMPA !...
5

CE QU'ILS ONT OUBLIÉ DE VOUS DIRE C'EST QUE VOUS AVEZ AUSSI GAGNÉ UN SUPER-PRIX !
MAIS BIEN SÛR, LES PETITS VEINARDS VONT PARTIR POUR UN MOIS DE CAMPING, OFFERT PAR L'ÉMISSION "JE RIGOLE "...
OÙ ÇA ?
DANS LA SUPERBE FORÊT DE TROU-DE-CHEMISE !
OH, NON ! PAS ÇA !
Fin

FICHES À DÉTACHER
FICHES À DÉTACHER
FICHES À DÉTACHER
FICHES À DÉTACHER
SSERIE
CUISINE
LA FLORE COLONIALE
Importation directe
Maroc
Algérie
Tunisie
EPICES
RHUMS
ICI

La vie en France sous l'occupation

C'est le temps des privations et de la débrouillardise.
En ville, on manque de tout, de viande, de pain, d'huile, de beurre, de légumes frais. On passe un temps fou à faire la queue aux portes des magasins. Chaque citoyen est obligé d'utiliser des **tickets de rationnement**. Tout est réglementé et contrôlé par la bureaucratie allemande. Alors on fabrique des « ersatz », des produits de remplacement : semelles en bois, faux café de pois chiches, cigarettes au topinambour, on mange d'indigestes **rutabagas** (plantes de la famille du chou-rave) à toutes les sauces, et on roule à bicyclette.
Au **marché noir** (trafic de marchandises sans tickets), un kilo de café coûte 1000 francs – 15 jours de salaire à Paris.
Alors, on se change les idées comme on peut : jamais les bibliothèques n'ont été aussi fréquentées…

• Au verso : file d'attente devant un magasin durant ces années de guerre.

Le sort des Juifs pendant la guerre

Le parti national-socialiste (nazi) allemand arrivé au pouvoir avec Hitler a programmé l'humiliation, la privation des droits puis l'élimination totale des Juifs. En 1933, 600 000 Juifs vivaient en Allemagne. En 1939, la moitié ont réussi à s'enfuir.
Mais, au fur et à mesure de l'invasion par les Allemands des autres pays d'Europe, le piège se referme sur eux.
Au Danemark, le roi réussit à les protéger en portant lui-même l'étoile jaune, en signe de résistance.
En France, le gouvernement de Vichy collabore et devance même les ordres des nazis. En Hollande, sur 140 000 Juifs, 25 000 réussissent à se cacher, comme la famille Frank.
Mais seulement 16 000 purent survivre.
Les autres sont pour la plupart dénoncés et capturés.
En tout, jusqu'en 1945, 6 millions de Juifs sont assassinés dans les camps d'extermination.

• Au verso : le port de l'étoile jaune est obligatoire pour les Juifs dans les pays occupés.

Fiches à détacher • Fiches à détacher • Fiches à détacher

Fiches à détacher
Fiches à détacher
Fiches à détacher

La maison d'Anne Frank

Après la guerre, l'immeuble du **263, Prinsengracht** fut loué mais guère entretenu. Il faillit même être démoli en 1957, tant il était en mauvais état. Heureusement, un groupe d'habitants d'**Amsterdam** se mobilisa pour créer une **Fondation Anne Frank**, s'opposer efficacement à sa destruction, et le restaurer, avec le soutien du père d'Anne. En 1960, les premiers visiteurs pouvaient entrer dans ce qui avait été **l'Annexe**. Aujourd'hui, 600 000 personnes par an viennent s'y recueillir à la mémoire des clandestins. Les descriptions si vivantes du Journal hantent les pièces. Les photos de stars de cinéma sont encore affichées dans la chambre d'Anne. Et si tous les meubles ont disparu, le **manuscrit original du Journal** est exposé là, ainsi que de nombreux documents sur le nazisme, l'antisémitisme et la Deuxième Guerre mondiale.

• Au verso : la maison d'Anne Frank, 263, Prinsengracht, Amsterdam.

Coche les bonnes réponses :

1. Un entrepôt, c'est :
- ❒ L'étagère sur laquelle on dispose des pots de confiture.
- ❒ Un bâtiment où l'on stocke des marchandises.
- ❒ Quelqu'un qui hésite à prendre position.

2. La promiscuité, c'est :
- ❒ La situation de personnes rassemblées dans un endroit où l'on manque d'espace.
- ❒ Une promesse qui n'est pas tenue.
- ❒ L'heure matinale à laquelle le boulanger fait cuire son pain.

3. Le typhus, c'est :
- ❒ Un vent du désert, chaud et violent.
- ❒ Un tyran au temps des Romains.
- ❒ Une maladie infectieuse très grave.

NOM...

PRÉNOM...

ADRESSE..

....

ÂGE...

TU ES ABONNÉ ☐ OUI ☐ NON

Jeu-concours réservé aux 8-12 ans.

JEU CONCOURS N° 85

JE LIS DES HISTOIRES VRAIES

129, boulevard Malesherbes

75812 Paris cedex 17

FICHES À DÉTACHER • FICHES À DÉTACHER • FICHES À DÉTACHER • FICHES À DÉTACHER